Madame
COLLET-MONTÉ

Roger Hargreaves

HACHETTE JEUNESSE

Madame Collet-Monté
n'avait que de bonnes manières.

Jamais elle n'aurait mis ses coudes sur la table.

Comme toi, n'est-ce pas?

Madame
COLLET-MONTÉ

COLLECTION
« LES DAMES »
Titres parus :

Madame En Retard

Madame Catastrophe

Madame Autoritaire

Madame Magie

Madame Dodue

Madame Tête-en-l'Air

Madame Timide

Madame Beauté

Madame Bonheur

Madame Petite

Madame Chipie

Madame Canaille

Madame Indécise

Madame Follette

Madame Risette

Madame Vedette

Madame Bavarde

Madame Contraire

Madame Proprette

Madame Double

Madame Chance

Madame Boulot

Madame Sage

Madame Coquette

Madame Range-Tout

Madame Pourquoi

Madame Collet-Monté

Madame Tintamarre

Madame Moi-Je

Madame Prudente

Madame Boute-en-Train

Madame Vite-Fait

Madame Acrobate

Madame Je-Sais-Tout

Madame Tout-Va-Bien

Madame Géniale

Madame Oui

Madame Têtue

Madame Casse-Pieds

Jamais madame Collet-Monté
ne se serait tenue le dos voûté.

Elle se tenait toujours droite comme un i,

comme toi, n'est-ce pas ?

Et puis madame Collet-Monté savait toujours
ce qu'il faut faire ou ne pas faire.

Comme toi, n'est-ce pas ?

Un matin, elle se dit :

– Il faut parfois savoir inviter ses voisins,
même s'ils ne sont pas parfaits.

Et, bien coiffée,
bien chapeautée,
bien droite comme un i,
elle alla au « Moulin à paroles ».

Tu devines qui y habite, n'est-ce pas ?

Oui, c'est monsieur Bavard!

— Ah, madame Collet-Monté! s'écria-t-il.
Je suis ravi de vous revoir, car je me disais
pas plus tard qu'hier, à moins que ce ne soit
cette nuit, mais non, suis-je bête!
C'était ce matin pendant que je déjeunais
et que...

Et que patati... Et que patata...

Deux heures plus tard,
monsieur Bavard reprit enfin son souffle.

Madame Collet-Monté réussit enfin à placer un mot,
et même plusieurs pendant qu'elle y était.

— Oh, monsieur Bavard, dit-elle,
il faut parfois savoir s'arrêter de parler
et écouter ce que les autres ont à vous dire.

Monsieur Bavard en resta bouche bée.

Et madame Collet-Monté en profita pour l'inviter.

Ensuite, elle se rendit chez madame Dodue.

Madame Dodue allait s'offrir un petit en-cas :
cent soixante-six saucisses salées.

– Oh, madame Dodue! dit madame Collet-Monté.

Cent soixante-six saucisses salées,
ce n'est pas très sain pour la santé!

Six suffiraient, et même une seule
serait sûrement suffisante.

Madame Dodue en eut l'appétit coupé.

Et madame Collet-Monté en profita pour l'inviter.

Ce jour-là, monsieur Bavard se répéta
les paroles de madame Collet-Monté.

Une fois...

Dix fois...

Cent fois...

Sans parler à haute voix!

Ce jour-là, madame Dodue se répéta aussi
les paroles de madame Collet-Monté.

Cent soixante-six fois!

Mais sans se décider à savourer
l'une des cent soixante-six saucisses salées!

Le lendemain, monsieur Bavard et madame Dodue
frappèrent à la porte de madame Collet-Monté.

Ils étaient décidés
à avoir de bonnes manières,
et même d'excellentes manières
pendant qu'ils y étaient.

Mais ils ne dirent pas bonjour
à madame Collet-Monté.

Tu vois pourquoi!

— Que vous est-il arrivé?
s'écria madame Collet-Monté.
Vous avez eu un accident?
Vous vous êtes brûlés?
Monsieur Farceur vous a fait une farce?

Monsieur Bavard et madame Dodue tournèrent la tête

de droite à gauche,

de gauche à droite,

de droite à gauche...

Longtemps!

Longtemps après, madame Collet-Monté comprit tout :

– Oh ! là ! là ! Ils ont suivi mes sages conseils
de trop près... se dit-elle.
Si je leur sers de succulents petits gâteaux secs,
ils oublieront sûrement ces sages conseils.

Et elle s'empressa de servir
ses succulents petits gâteaux secs.

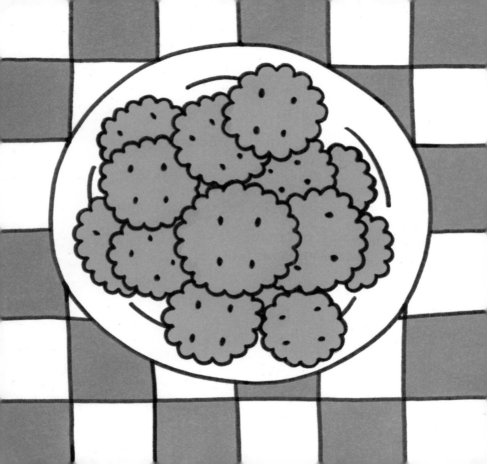

Aussitôt, monsieur Bavard et madame Dodue
arrachèrent leurs sparadraps.

Ensuite, très poliment,
ils demandèrent des fourchettes et des couteaux.

Sans comprendre pourquoi,
madame Collet-Monté les leur donna.

Et tous les succulents petits gâteaux secs
s'envolèrent en mille miettes!

Entre deux éclats de rire,
madame Collet-Monté parvint à dire :

— Mes très chers amis, voyons,
il faut parfois savoir...

... manger avec ses doigts!

Ce qu'elle fit à la perfection.
Avec le petit doigt en l'air!